De lune à l'autre

Joël Mansa

Une collection dirigée par
Françoise Spiess

CNDP / Gallimard Éducation

De lune à l'autre

Écrire avec l'imaginaire

Plus de cinquante exercices d'écriture vous sont proposés dans ce petit carnet, et tous vous invitent à lire des textes d'imagination de toute nature, des jeux de langage, des créations verbales, des récits légendaires, des images pour mieux en créer vous-même.

Lire pour mieux écrire, voici l'axe essentiel de cet ouvrage. Lire des auteurs appartenant à toutes les époques, à toutes les traditions, à tous les horizons. Certains vous seront connus, d'autres le deviendront, tous vous réjouiront par leur fantaisie et leur imagination afin que, à votre tour, vous vous amusiez à écrire.

Images poétiques, écriture décalée, commentaires loufoques, définitions inventées, suites de textes, reportages imaginaires, textes inversés, poèmes retournés, poèmes couplés, comptes rendus absurdes, calligrammes, contes à l'envers, réécritures, transformations, parodies, tous les exercices proposés sont autant de chemins vers une pratique joyeuse de la langue écrite à laquelle les poètes, les récits légendaires, les conteurs rassemblés ici vous conduiront.

La création littéraire est toujours étonnante, elle est exploration du langage, découverte de la richesse des mots, de leur pouvoir de suggestion et d'émotion.

À vous de suivre ce chemin. Il est aussi tracé pour vous. Il passe de la lecture à l'écriture, de l'une à l'autre.

Légende 1
Comment les poètes deviennent magiciens

« Des pois au lard avec commentaires ! »

En 1534, Rabelais publie le premier livre de son histoire des géants, *Gargantua*. Il a eu l'idée d'exploiter une œuvre parue sans nom d'auteur en 1532, *Grandes et inestimables cronicques du grant et enorme geant Gargantua*, pour en écrire une suite possible, l'histoire du fils du géant, Pantagruel, auteur de très *« horribles et épouvantables faits et prouesses »*. Quelque temps plus tard, Rabelais écrit sa propre version des aventures de Gargantua lui-même.

Ainsi, écrire, c'est souvent reprendre un texte existant, en proposer une suite ou une nouvelle version.

Lisez cet extrait du prologue du *Gargantua*, adapté en français d'aujourd'hui :

> *« À quel propos, à votre avis, tend ce prélude et coup d'essai ? Vous, joyeux fous qui lisez les titres de quelques-uns de mes livres :* Gargantua, **Pantagruel…**, **Des pois au lard avec commentaires** *[ce livre n'a bien sûr jamais existé], etc., n'imaginez pas trop vite qu'ils ne traitent que de plaisanteries et autres mensonges. Ce dont il est question n'est pas si fou que le titre veut bien le faire croire. »*

● Amusez-vous avec **le titre savoureux** « Des pois au lard avec commentaires » à poursuivre ce début d'histoire :

« Lorsque le cochon pointa son nez dans la cuisine, quelle ne fut pas sa surprise de trouver sur la table un plat fumant de pois au lard..

....

....

....

....

....

....

....

« Des pois au lard », certes, mais avec commentaires, disait Rabelais. Essayons-nous maintenant au jeu du commentaire. De l'univers des contes et des légendes sont venus les géants comme Gargantua et les animaux fabuleux dont on peut commenter les exploits.

À ce propos, suivez-moi tout d'abord chez un certain Philostrate. Philostrate, qui vécut à la fin du IIᵉ siècle et au début du IIIᵉ siècle après Jésus-Christ, écrivit la biographie romancée d'un prodigieux magicien, Apollonius de Tyane. Il y décrit notamment des animaux fabuleux, tels le phénix et le griffon.

Voici comment il décrit **le phénix** dans le livre III de la *Vie d'Apollonios de Tyane* :

> « *Le phénix gagne l'Égypte tous les cinq cents ans. Dans l'intervalle, c'est en Inde qu'il déploie son vol. Il est unique. Produit par les rayons du soleil, il a l'éclat de l'or. Sa taille et son aspect sont ceux d'un aigle. Il s'établit sur un nid fait par lui de plantes aromatiques aux sources du Nil. Les Égyptiens chantent sa translation en Égypte et le témoignage des Indiens la confirme. Et ils ajoutent que le phénix qui est consumé dans son nid chante son propre hymne funéraire ; c'est ce que font également les cygnes d'après ceux qui réussissent à les entendre… »*

• Voilà bien un texte qui se prête merveilleusement au **jeu du commentaire** que nous marquerons en caractères gras :

« Le phénix gagne l'Égypte tous les cinq cents ans (pour l'attendre, c'est un peu long évidemment [1]). Dans l'intervalle (il faut bien s'occuper [2]), c'est en Inde qu'il déploie son vol. Il est unique (pour éviter les conflits familiaux, c'est un excellent plan [3]). Produit par les rayons du soleil, il a l'éclat de l'or (et en plus, il fait riche, ce n'est pas juste… [4]). Sa taille et son aspect sont ceux d'un aigle (mais royal, quand même [5]). Il s'établit sur un nid fait par lui de plantes aromatiques aux sources du Nil (....................
.... [6]). Les Égyptiens chantent sa translation en Égypte et le témoignage des Indiens la confirme (... ......[7]). Et ils ajoutent que le phénix qui est consumé dans son nid chante son propre hymne funéraire (.................................
.... [8]) ; c'est ce que font également ment les cygnes d'après ceux qui réussissent à les entendre…
(..
....[9]). »

Philostrate, *Vie d'Apollonios de Tyane*, livre III.

• Et maintenant, commentons nos commentaires :
(1) et (2) : cinq cents ans, c'est effectivement un peu long au regard de la vie humaine…
(3) : comme un fils unique, il n'a pas de rivaux, c'est pratique......
(4)...
....
(5)...
....
(6)...
....
(7)...
....

(8)..
....
(9)..
....

• Philostrate s'intéresse également aux griffons. À vous **d'ajouter les commentaires** dans les parenthèses :

« **Le griffon**
L'or que les griffons retirent du sol (.....................................
....), ce sont des pierres piquetées de gouttes d'or étincelantes que cet animal taille à la force de son bec (..).
Ils vivent aux Indes et passent pour les animaux sacrés du Soleil (..).
Dans les représentations imagées du Soleil, les artistes indiens les font figurer en quadrige (...
....). Leur taille et leur vigueur se comparent à celles du lion, qu'ils attaquent en ayant sur lui l'avantage de voler (..
......................). Ils l'emportent également sur les éléphants et les dragons (...
..). Ils ne peuvent voler bien loin mais sont comme les oiseaux dont l'envol est court (...).
Ils ne possèdent pas d'ailes comme les oiseaux mais c'est en faisant tournoyer leurs pattes pourvues de membranes rouges qu'ils peuvent prendre leur essor et combattre du haut des airs (..).
Le tigre seul, en revanche, leur échappe, car sa vitesse égale celle du vent (.. ....). »

Philostrate, *Vie d'Apollonios de Tyane*, livre III.

Griffons représentés sur un vase étrusque, céramique, IVe siècle av. J.-C., musée du Louvre, Paris

Listons à présent **quelques animaux fabuleux** avec lesquels on peut jouer comme avec le phénix et les griffons : la chimère, Pégase, le dragon, l'hippogriffe, les centaures, l'alcyon, la licorne ou l'hydre. Voici leur possible description :

La chimère a la tête et le buste d'un lion, un corps de chèvre et une queue de dragon. Elle vomit des flammes et son plat préféré est un humain grillé. Un certain Bellérophon, monté sur Pégase (voir notice suivante), la terrassa de ses flèches de métal qui fondirent immédiatement sous les flammes de la bête.

Pégase est un cheval ailé aussi rapide que le vent. Bellérophon en fit donc sa monture et multiplia les exploits avec lui. Fou d'orgueil, il décida de monter aux cieux mais Zeus, le Dieu des Dieux, le désarçonna et seul le cheval ailé atteignit les demeures divines. C'est pourquoi Pégase est maintenant une constellation.

Giambattista Tiepolo, *Pégase et Bellérophon*, palais Labia, Venise

● Imaginez la scène suivante et proposez **votre version de cette légende** :

« Pégase arrive devant Zeus et lui explique pourquoi il a désarçonné son cavalier, Bellérophon : "Ô Zeus, dit Pégase un peu essoufflé, Bellérophon est tombé des cieux et sûrement sur la tête... Figure-toi qu'il voulait venir jusqu'à toi. J'ai donc décidé...

....

....

....

....
....
....
....
....

Continuons avec ces charmants animaux :

L'hippogriffe, au Moyen Âge, est un animal à tête d'aigle et corps de cheval avec quatre ailes, il est en fait mi-cheval mi-griffon (intéressant, non ?).

Les centaures sont, quant à eux, à moitié homme pour le buste, à moitié cheval pour le corps et les jambes. Mais les centaures sont surtout fort civilisés et réputés pour leur noblesse d'âme. (Comme ils sont savants en médecine, ce sont des animaux passionnants à commenter...)

L'alcyon est un oiseau de mer fabuleux qui fait son nid sur les mers calmes. Il passe pour être un heureux présage. (L'avenir est donc radieux avec cet oiseau dans les parages, vous pouvez écrire sans crainte les commentaires que vous voudrez...).

L'hydre enfin est un monstre au corps de chien et aux neuf têtes de serpent dont une était immortelle. Son haleine soufflée par toutes ses gueules donne la mort et nul n'en réchappe qui approche le monstre de trop près. Des versions différentes de la légende lui donnent jusqu'à cent têtes... Il vit dans sa caverne près du lac de Lerne. C'est Héraclès – Hercule, héros grec condamné à accomplir douze travaux inhumains – qui le tue. (Comme on parle d'hydre aujourd'hui en informatique pour des virus qu'on nomme des « vers », voilà un animal parfait pour un commentaire d'actualité...)

• **À vous** de choisir parmi ces quatre animaux fabuleux celui que vous préférez, faites sa présentation et commentez-la :

« ....
....
....
....
....
....
....
....
....
....
....
....
....
....

Tolkien, l'auteur du *Seigneur des Anneaux,* propose au lecteur, par exemple, les aventures du Balrog et des Gobelins. Dans l'univers de Tolkien, le **balrog** est un animal d'une dizaine de mètres de haut, vivant dans des cavernes d'où il ne faut pas le réveiller sous peine de finir rôti dans les profondeurs de la terre. Il a un corps de feu, deux ailes de chauve-souris, des griffes au bout des membres, deux cornes sur le front comme un diable et il est armé d'un fouet immense qui lui permet d'attraper comme au lasso son ennemi. Quant au **gobelin,** c'est un nain ou un elfe (créature légendaire des bois). Dans ce monde fantastique, il a été métamorphosé par un magicien démoniaque en bête de guerre. Chevauchant des loups de combat, les gobelins ont des oreilles pointues et poilues, une petite taille mais une force démesurée. Leurs armes primitives en acier ressemblent de loin à des épées, mais elles ne sont qu'un prolongement de leur être, tourné entièrement vers la force brutale.

- Imaginez que vous écriviez à un(e) ami(e). Vous lui racontez **l'épouvantable rencontre** que vous avez faite dans une forêt ou dans une grotte avec l'une de ces charmantes créatures :

« ....
....
....
....
....
....
....
....
....
....
....
....

Mais vous pouvez aussi inventer vos propres animaux fabuleux. Rabelais avait bien inventé des « boucs volants » et autres « lièvres cornus ». Et le sculpteur Rodin créa sa « centauresse ».

Auguste Rodin, *La Centauresse*, 1887, musée Rodin, Paris

Comment allons-nous faire ? En procédant par exemple par mots-valises : un morceau d'un animal se colle à un morceau d'un autre. Ainsi, l'hippogirafon est un animal moitié cheval (*hippo*, en grec) et moitié girafe ; l'alcyopard est un alcyon (voir plus haut) / léopard ; le lupuscholasticus (loup / philosophe) est un loup beau parleur dont le discours vous endort, sans doute pour mieux vous dévorer !

• Nommez les **deux animaux** qui se cachent dans :
les crocotamus : ....
les lapiscorpios : ....
les cétatruches : ....

• **Quels mots-valises** pouvez-vous faire à partir du lièvre, du coq, de la fourmi ou du boa si vous les associez à un autre animal de votre choix ?

Le lièvre se transforme en ....avec un................
Le coq se transforme en.................. avec un................
La fourmi se transforme en..............avec un................
Le boa se transforme en................avec un................

Il s'agit maintenant de décrire ces animaux.
Par exemple, en partant du **rhinocéros** (grand mammifère d'Asie et d'Afrique, caractérisé par la présence d'une ou deux cornes sur la tête, très recherchées pour leur vertu aphrodisiaque), et en lui associant l'**otarie** (mammifère marin piscivore de l'hémisphère Sud qui aime se regrouper avec ses semblables dans des rassemblements de plusieurs milliers d'individus), on obtient le **rhinotarie.** En voici la possible description :

« Les rhinotaries sont des mammifères terrestres et marins, à tête de rhinocéros et à corps d'otarie vivant sur les côtes des mers

du Sud. Ils ont une vie sexuelle très mouvementée. Quatre fois l'an, ils se retrouvent en bande sur la côte de la Calidisiaque pour célébrer leurs amours…»

• Selon le dictionnaire, le lièvre est «un mammifère végétarien de l'hémisphère Nord à longues pattes postérieures assurant une course rapide, aux oreilles très longues, qui gîte dans des dépressions du sol». En partant de cette définition, proposez **une nouvelle description à partir du mot-valise** que vous avez créé plus haut avec le mot lièvre :

« ....
....
....
....
....
....

• Faites de même, en vous aidant d'un dictionnaire, avec les autres mots-valises inventés à partir de «coq», «fourmi» et «boa» :

« ....
....
....
....
....
....
....
....
....
....
....
....

Premiers petits apprêts

Un apprêt étant un traitement que l'on fait subir aux matières premières comme le cuir ou les tissus avant de les livrer au commerce, voici comment on peut traiter la matière première que sont les légendes pour leur donner une nouvelle vie… Autrement dit, que faire ensuite avec ces animaux fabuleux ? Lisez la suite…

Voici un conte oriental de Voltaire, philosophe du XVIIIe siècle, *La princesse de Babylone* dans lequel on retrouve des animaux fabuleux comme… le phénix et les griffons ! Des griffons sympathiques du temps où « les bêtes parlaient » et qui portent dans les airs jusqu'en Inde le canapé de la princesse ! Comme mode de transport, c'est original et très confortable ! Voilà donc un nouvel usage des légendes dont vous pourrez vous inspirer.

La princesse de Babylone, Formosante, est amoureuse d'un étrange berger, Amazan, qui a disparu. Elle retrouve sa trace grâce à son oiseau favori, un phénix. Mais l'oiseau est mortellement blessé et lui demande avant de mourir : « Brûlez-moi et ne manquez pas de porter mes cendres en l'Arabie Heureuse et de les exposer au soleil sur un petit bûcher de girofle et de cannelle… » Laissez-vous aller maintenant et lisez les aventures de la princesse, selon Voltaire :

« Dès que la princesse se vit dans cette terre, son premier soin fut de rendre à son cher oiseau les honneurs funèbres qu'il avait exigés d'elle. Ses belles mains dressèrent un petit bûcher de girofle et de cannelle. Quelle fut sa surprise lorsque, ayant répandu les cendres de l'oiseau sur ce bûcher, elle le vit s'enflammer de lui-même ! Tout fut bientôt consumé. Il ne parut, à la place des cendres, qu'un gros œuf, dont elle vit sortir son oiseau plus brillant qu'il ne l'avait jamais été. Ce fut le plus beau

Louis Constantin illustre *La princesse de Babylone* de Voltaire

des moments que la princesse eût éprouvés dans toute sa vie; il n'y en avait qu'un qui pût lui être plus cher : elle le désirait, mais ne l'espérait plus.

"Je vois bien, dit-elle à l'oiseau, que vous êtes le phénix dont on m'avait tant parlé. Je suis prête à mourir d'étonnement et de joie. Je ne croyais point à la résurrection; mais mon bonheur m'en a convaincue.

– La résurrection, madame, lui dit le phénix, est la chose du monde la plus simple. Il n'est pas plus surprenant de naître deux fois qu'une. Tout est résurrection dans ce monde; les chenilles ressuscitent en papillons; un noyau mis en terre ressuscite en

arbre; tous les animaux ensevelis dans la terre ressuscitent en herbes, en plantes, et nourrissent d'autres animaux dont ils font bientôt une partie de la substance [...].

– Mon phénix, lui repartit la princesse, songez que les premières paroles que vous me dîtes à Babylone, et que je n'oublierai jamais, me flattèrent de l'espérance de revoir ce cher berger que j'idolâtre; il faut absolument que nous allions ensemble chez les Gangarides, et que je le ramène à Babylone.

– C'est bien mon dessein, dit le phénix; il n'y a pas un moment à perdre. Il faut aller trouver Amazan par le plus court chemin, c'est-à-dire par les airs. Il y a dans l'Arabie Heureuse deux griffons, mes amis intimes, qui ne demeurent qu'à cent cinquante milles d'ici : je vais leur écrire par la poste aux pigeons; ils viendront avant la nuit. Nous aurons tout le temps de vous faire travailler un petit canapé commode avec des tiroirs où l'on mettra vos provisions de bouche. Vous serez très à votre aise dans cette voiture avec votre demoiselle. Les deux griffons sont les plus vigoureux de leur espèce; chacun d'eux tiendra un des bras du canapé entre ses griffes [...]"

Le canapé était aussi léger que commode et solide. Les deux griffons arrivèrent dans Éden à point nommé. Formosante et Irla se placèrent dans la voiture. Les deux griffons l'enlevèrent comme une plume. Le phénix tantôt volait auprès, tantôt se perchait sur le dossier. Les deux griffons cinglèrent vers le Gange avec la rapidité d'une flèche qui fend les airs. On ne se reposait que la nuit pendant quelques moments pour manger, et pour faire boire un coup aux deux voituriers.

On arriva enfin chez les Gangarides. »

• **À vous** de choisir un animal fabuleux parmi ceux que nous avons déjà rencontrés et faites-lui vivre le début d'une aventure d'aujourd'hui. S'il s'agit du centaure dont une des caractéristiques était d'être savant en médecine, imaginez, par exemple, une situation où son don de guérir sera bien utile...

« ....
....
....
....
....
....
....
....
....
....
....
....
....

• Maintenant **inventez un début d'histoire** dont le héros sera
l'un des animaux fabuleux auxquels vous avez donné naissance
par vos mots-valises page 12 :

« ....
....
....
....
....
....
....
....
....
....
....
....
....
....

Quelques belles appondures

Une appondure n'est pas un monstre mythologique, mais une perche ajoutée au bout d'une autre pour solidifier un train de bois flottant. On peut donc ici en faire une piste pour consolider les travaux d'écriture à peine ébauchés et sans doute encore bien flottants eux aussi… Animaux fabuleux, animaux de fantaisie : chez Rabelais il suffit d'entrer dans l'univers des géants pour faire d'une jument un animal extraordinaire dont la moindre envie naturelle provoque des catastrophes. Voici quelques lignes réjouissantes d'un épisode de *Gargantua* démolissant un château à coups d'arbre alors que sa jument a noyé dans son urine plus d'un homme…

« Comment Gargantua démolit le château
du gué de Vède,
et comment ils passèrent le gué.

Gargantua monta sur sa grande jument, accompagné comme nous l'avons dit. Et trouvant en son chemin un arbre haut et grand (on l'appelait communément l'Arbre de saint Martin, parce qu'il provenait d'un bâton que saint Martin avait planté jadis et qui avait crû ainsi), il dit : "voici ce qu'il me fallait : cet arbre me servira de bâton et de lance."

Il l'arracha facilement de terre, en ôta les rameaux, et l'arrangea pour son plaisir. Cependant sa jument pissa pour se relâcher le ventre, mais ce fut en telle abondance qu'elle en fit sept lieues de déluge. Tout le pissat dériva au gué de Vède, et l'enfla tellement au fil de l'eau que toute cette troupe des ennemis fut noyée horriblement, excepté certains qui avaient pris le chemin vers les coteaux à gauche.

Arrivé à l'endroit du gué de Vède, Gargantua fut avisé par Eudémon que dans le château il restait des ennemis. Pour le savoir, Gargantua s'écria aussi fort qu'il put :

"Êtes-vous là, ou n'y êtes-vous pas? Si vous y êtes, n'y soyez plus; si vous n'y êtes pas, je n'ai rien à dire."

Mais un ribaud [méchant bonhomme] de canonnier qui était au mâchicoulis [ouverture au sommet de la muraille] lui tira un coup de canon, et l'atteignit à la tempe droite furieusement : toutefois cela ne lui fit pas plus de mal que s'il lui avait jeté une prune.

"Qu'est-ce que c'est que ça? dit Gargantua. Nous jetez-vous des grains de raisin? La vendange vous coûtera cher." Il pensait vraiment que le boulet était un grain de raisin.

Ceux qui étaient dans le château, occupés à jouer à la pile [à la balle; jeu de mots dans la mesure où les soldats pillent], en entendant le bruit coururent aux tours et aux fortins [petits forts], et ils lui tirèrent plus de neuf mille vingt-cinq coups de petits canons et d'arquebuse, visant tous à la tête, et ils tiraient si dru contre lui qu'il s'écria :

"Ponocrates, mon ami, ces mouches-là m'aveuglent. Donnez-moi quelque rameau de ces saules pour les chasser!"

Il pensait que les volées de plomb et les boulets de pierre étaient des mouches à bœufs.

Ponocrates l'avertit que ce n'étaient d'autres mouches que les coups d'artillerie tirés du château. Alors, de son grand arbre, il cogna contre le château, et à grands coups il abattit les tours et les fortins, et il effondra tout par terre. Ainsi furent écrasés et mis en pièces ceux qui étaient dans le château.»

• **À vous** d'inventer en quelques lignes le **début d'une histoire de géant**, accompagné de son animal familier (géant lui aussi !), qui se déroule à notre époque. Pensez aux caractéristiques de l'animal choisi, aux catastrophes que son gigantisme peut provoquer chez les hommes, aux circonstances auxquelles il se trouvera mêlé, aux lieux qu'il va traverser :

« ....
....
....
....
....
....
....
....
....
....
....
....
....
....
....
....
....
....

Continuons sur cette voie. Un animal réel et de taille normale, mais étrange, peut aussi être source d'inspiration. Ainsi Apollinaire publie en 1911 *Le bestiaire ou le cortège d'Orphée* (Orphée était un poète musicien qui avait le don de charmer les bêtes et qui descendit aux Enfers rechercher sa femme, Eurydice, mortellement mordue par un serpent).

« **Le poulpe**

Jetant son encre vers les cieux,
Suçant le sang de ce qu'il aime
Et le trouvant délicieux,
Ce monstre inhumain, c'est moi-même. »

« **La méduse**

Méduses, malheureuses têtes
Aux chevelures violettes
Vous vous plaisez dans les tempêtes,
Et je m'y plais comme vous faites. »

Gravures sur bois de **Raoul Dufy** accompagnant les poèmes d'Apollinaire dans l'édition originale.

• Ces deux poèmes-jeux sont à la fois une description de l'animal et une façon pour le poète de parler de lui. Sur ce modèle, écrivez à votre tour sur un animal réel, mais fascinant, sans oublier de le relier à vous. Vous pouvez choisir parmi ces quelques pistes : le **tamanoir** (sorte de fourmilier), le **lamantin** (gros mammifère marin), l'**ornithorynque** (mammifère australien à bec de canard), la **torpille** (c'est un poisson) ou le **talitre** (un petit crustacé qu'on appelle aussi puce de mer, très poétique…). Si vous êtes un peu paresseux, choisissez plutôt le **bradype**… mieux connu sous le nom de « paresseux » !

« ....
....
....
....
....
....
....
....
....
....
....
....
....
....
....
....
....
....
....
....
....
....

Enfin, dans *Le bestiaire* d'Apollinaire, il y a aussi des créatures bien ordinaires : chèvre, chat, lièvre, lapin et serpent, qui n'en sont pas moins, eux aussi, des sources d'inspiration permettant au poète de parler de toutes les choses de la vie, amitié, amour, nostalgie et regrets du temps qui passe…

« **Le serpent**

Tu t'acharnes sur la beauté.
Et quelles femmes ont été
Victimes de ta cruauté!
Ève, Eurydice[1]*, Cléopâtre ;*
J'en connais encor trois ou quatre. »

1. Et voilà Eurydice… mais bien entourée : Ève, première femme selon la Bible, fut tentée par le serpent; Cléopâtre, reine d'Égypte s'est fait piquer par un serpent…

« **Le lapin**

Je connais un autre connin[1]
Que tout vivant je voudrais prendre.
Sa garenne est parmi le thym
Des vallons du pays de Tendre. »

1. Sachez qu'on appelait autrefois le lapin un connil ou un connin, mot de la même famille que celui qui désigne le sexe de la femme. Et le pays du Tendre est une référence à la *Carte du Tendre* qu'inventa Mme de Scudéry au XVIIe siècle, carte qui traçait tout un parcours amoureux.

« **Le paon**

En faisant la roue, cet oiseau,
Dont le pennage[2] *traîne à terre,*
Apparaît encore plus beau,
Mais se découvre le derrière. »

2. Le pennage : les plumes.

Voici un nouvel exercice d'écriture : **le jeu du contre-poème**. Chacun de ces animaux va prendre la parole pour répondre au poète. Ainsi **le paon**, vexé, pourrait dire à Apollinaire :

« *Les plumes de ton poème, Guillaume,*
Ne sont guère étincelantes.
Faire la roue, j'aimerais voir que tu le tentes…
Et tu n'as plus, animal manqué,
Qu'à repartir la queue basse ! »

● **À vous** de donner voix aux autres animaux d'Apollinaire :

« Le serpent : ....
....
....
....
....
....

« Le lapin : ....
....
....
....
....
....
....

« La souris : ....
....
....
....
....
....

Légende 2
La poésie peut être un simple jeu

Comment les poètes font bon ménage avec les cochons…

« Soyez bon pour le Poète
Le plus doux des animaux… » (Jules Supervielle, *Les poèmes de l'humour triste*)

Si les animaux sont en soi de merveilleux sujets poétiques, comme nous venons de le voir précédemment, ils sont aussi une source d'inspiration fascinante pour les poètes dans la mesure où ils leur permettent de parler du langage, des mots, de leur pouvoir et de l'art d'écrire. Et de l'art au lard, il n'y a que des lettres… Lisez donc ce poème de Jacques Roubaud, extrait de son recueil *Les Animaux de tout le monde* :

« Ce que dit le cochon

Pour parler, dit le cochon,
Ce que j'aime c'est les mots porqs :
Glaviot grumeau gueule grommelle
Chafouin pacha épluchure
Mâchon moche miches chameau
Empoté chouxgras polisson.

J'aime les mots gras et porcins :
Jujube pechblende pépère
Compost lardon chouraver
Bouillaque tambouille couenne
Navet vase chose choucroute.
Je n'aime pas trop potiron
Et pas du tout arc-en-ciel.
Ces bons mots je me les fourre sous le groin
Et ça fait un pöeme de porq. »

Ainsi le poète fait-il du cochon non seulement un animal particulièrement poétique mais son merveilleux porte-parole tant est si vrai que celui qui se « fourre sous le groin » des « bons mots » n'est autre que le poète lui-même. Essayons-nous à l'exercice.

• On peut tout d'abord imaginer d'autres mots qu'un cochon aime à dire… Parmi ceux qui suivent, gardez ceux qu'il aime beaucoup, soulignez ceux qu'il n'aime pas trop et barrez ceux qu'il n'aime pas du tout selon le principe du poème de Jacques Roubaud :

Glouton, cornichon, zinzin, corbillon, boudin, rondeur, œil-de-bœuf, mâcher, jardinier, glandouiller, rondelle, rayure.

• Si le cochon est un animal « poétique » – le terme « cochon » est en français un mot qui se prête à des emplois multiples : « copains comme cochons », « quel cochon, ce type »… –, on peut trouver à notre tour un animal qui se prêterait aussi par la richesse de ses emplois possibles à des manipulations poétiques. Commençons par le chameau. Comme nous l'avons fait pour le cochon, choisissons les mots qu'il aimerait, ceux qu'il n'aimerait pas trop et ceux qu'il détesterait : méchant, déblatérer, bossu, maussade, chapeauter, lézard, charnu, champignon.

● Et si vous aviez à écrire « chameau », proposez une orthographe plus singulière (comme le poète le fait avec porc qu'il écrit « porq ») : ....

● Et maintenant **choisissez un animal «poétique»** dans cette liste : la vache, le phoque, le singe, l'éléphant, la chouette, le cheval, le lion.

L'animal que vous avez retenu : ....

Les mots qu'il aime : ....
....
....
....
....

Les mots qu'il n'aime pas trop : ....
....
....
....
....
....
....

Les mots qu'il n'aime pas du tout :.......................................
....
....
....
....
....
....

Mais vous pouvez aussi choisir non pas un animal mais un légume, un fruit, un objet qui par sa richesse d'emplois deviendra pour vous tout particulièrement poétique.

Ainsi le mot « chou » semble tout à fait approprié à une telle destinée.

Il en existe de toutes sortes qui comme nourriture plaisent aux hommes ou aux animaux, le mot « chou » est par ailleurs utilisé dans un grand nombre d'expressions au sens figuré (*aller planter ses choux, bête comme chou, être dans les choux, faire chou blanc, un bout de chou…*) et le mot est utilisé aussi en pâtisserie tout comme il peut être aussi un terme d'affection… C'est dire comme est poétique le mot « chou ».

• Voici par exemple ce poème, à compléter :

« Ce que dit le chou

Pour parler, dit le chou,
Ce que j'aime c'est les mots bien charnus :
Choucroute, ..., ..., cochon,
Ciboulette, ..., ...
J'aime les mots ronds et croquants :
Croustillant, ..., chatchatchat,
Chatouillis, tchapalo, ..., ...
Je n'aime pas trop oursin
Et pas du tout ....
Ces bons mots, je me les colle aux feuilles
Et ça fait un pöeme très chou(ette). »

• Sur ce modèle, après avoir relu Jacques Roubaud, **écrivez maintenant un poème** sur l'animal, le légume ou l'objet de votre choix :

« Ce que dit ....

....
....
....
....
....
....
....
....
....
....
....
....
....
....

Prenons un vers ensemble...

La poésie joue de toutes les ressources du langage. Francis Ponge, en partant des lettres et de leurs particularités formelles, s'amuse à voir un mot parfaitement adapté à l'objet qu'il désigne :

« **Le verre d'eau**

Le mot VERRE D'EAU serait en quelque façon adéquat à l'objet qu'il désigne... Commençant par un V, finissant par un U, les deux seules lettres en forme de vase ou de verre. Par ailleurs, j'aime assez que dans VERRE, après la forme (donnée par le V), soit donnée la matière par les deux syllabes ER RE, parfaitement symétriques comme si, placées de part et d'autre de la paroi du verre, l'une à l'intérieur, l'autre à l'extérieur, elles se reflétaient l'une en l'autre. Le fait que la voyelle utilisée soit la plus muette, la plus grise, le E, fait également très adéquat. Enfin, quant à la consonne utilisée, le R, le roulement produit par son redoublement est excellent aussi, car il semble qu'il suffirait de prononcer très fort ou très intensément le mot VERRE en présence de l'objet qu'il désigne pour que, la matière de l'objet violemment secouée par les vibrations de la voix prononçant son nom, l'objet lui-même vole en éclats. (Ce qui rendrait bien compte d'une des principales propriétés du verre : sa fragilité). »

● À votre tour, en quelques lignes, sur le modèle de cet auteur, **choisissez un mot qui serait, poétiquement bien sûr, à l'image de l'objet qu'il désigne** et exercez-vous à le démonter comme un jeu.

Le mot « ouragan » par exemple pourrait servir à l'exercice. Le « o », le « u », le « g » ne sont-ils pas des lettres qui miment par leurs mouvements les tourbillons d'un vent violent. La syllabe « ou » ne pourrait-elle pas traduire le hurlement des vents furieux de l'ouragan et le « r » associé au « a » le roulement rageur du phénomène météorologique, comme le « an » final traduirait les efforts acharnés des vents les plus rapides pour tout détruire sur leur passage ?

« Roulotte : ....
....
....
....
....
....
....
....

« Palmipède : ....
....
....
....
....
....
....
....

« Crapaud : ....
....
....
....
....
....
....
....

• Et maintenant le mot que vous avez choisi :

« ....
....
....
....
....
....
....
....
....
....

Mais voici un autre exercice qui s'impose dès lors que l'on veut écrire sur les vertus d'un objet comme le verre : le calligramme. Un calligramme est un poème dont la forme suggère l'objet dont il est question.

Bien avant que le mot « verre » n'inspire Francis Ponge et son travail sur le langage, un poète du XVIIe siècle, Charles-François Panard (1694-1765), chante les louanges du verre à boire sous cette forme particulièrement suggestive du calligramme.

« Nous ne pouvons rien trouver sur la terre
Qui soit si beau ni si bon que le verre ;
Du tendre amour berceau charmant,
C'est toi, champêtre fougère,
C'est toi qui sers à faire
L'heureux instrument
Où souvent pétille,
Mousse et brille,
Le jus qui rend
Gai, riant,
Content.
Quelle douceur
Il porte au cœur !
Tôt
Tôt
Tôt
Tôt
Qu'on m'en donne,
Qu'on l'entonne !
Tôt
Tôt
Tôt
Tôt
Qu'on m'en donne
Vite et comme il faut !
L'on y voit, sur ses flots chéris,
Nager l'allégresse et les ris. »

Et Guillaume Apollinaire, en 1918, écrit *Calligrammes*, parmi lesquels cet extrait de « Paysage » :

> « *CET*
> *ARBRISSEAU*
> *QUI SE PRÉPARE*
> *À   FRUCTIFIER*
> *T E*
> *R E S*
> *SEM*
> *B L E* »

• **À VOUS** **d'associer une forme d'objet et un texte** et donc de créer votre calligramme :

« ....
....
....
....
....
....
....
....
....
....
....
....
....
....
....
....
....

- Vous pouvez aussi partir, comme nous l'avons fait plus haut, d'une lettre pour faire un calligramme et **combiner** alors **objet et lettre** : ainsi le Y ne peut qu'inspirer les amateurs de coupes de champagne et le O ceux qui aiment le ballon rond ou le S représenter l'inévitable serpent :

«...
....
....
....
....
....
....
....
....
....
....
....
....
....
....
....
....
....
....
....
....
....
....
....
....
....

Paraproses et paraprosodies

Autrement dit : des écrits qui ressemblent aux textes des poètes et des écrivains, mais qui ne sont que des exercices d'écriture. Parlons donc d'*Exercices de style*. En 1947, le poète Raymond Queneau publia 99 façons de raconter la même histoire. Nous allons, nous aussi, appliquer au *Paon,* le poème d'Apollinaire, un traitement similaire. Voici la version de base :

> « En faisant la roue, cet oiseau,
> Dont le pennage traîne à terre,
> Apparaît encore plus beau,
> Mais se découvre le derrière. »

Version développée en doublons :

« En faisant la roue *et déployant sa queue,* cet oiseau *et même volatile,*
Dont le pennage *et toutes les plus belles plumes* traînent à terre *et se prolongent jusqu'au sol,*
Apparaît *et semble bien encore et toujours* plus beau *et magnifique,*
Mais se découvre *et donne à voir* son derrière *et cul tout nu.* »

Version métaphorique :

« En déployant son *arc-en-ciel plumesque,* cet *histrion à pattes,*
Dont la vêture s'alanguit jusqu'à caresser notre *mère nourricière*
Éblouit bien des regards,
Mais révèle aussi à tous son *bien piètre arrière-train.* »

• Imaginez une **autre version possible** :

«...
....
....
....
....
....
....
....
....
....
....
....
....
....

Revenons au poète Francis Ponge qui, à propos de son travail, disait qu'il lui fallait «fonder [son] dictionnaire». Il a, en effet, dans *Le parti pris des choses,* joué de toutes les ressources de ce fabuleux instrument d'écriture : le dictionnaire. Voici, pour le moment, une lecture :

«Le Cageot

À mi-chemin de la cage au cachot la langue française a cageot, simple caissette à claire-voie vouée au transport de ces fruits qui de la moindre suffocation font à coup sûr une maladie.

Agencé de façon qu'au terme de son usage il puisse être brisé sans effort, il ne sert pas deux fois. Ainsi dure-t-il moins encore que les denrées fondantes ou nuageuses qu'il enferme.

À tous les coins de rue qui aboutissent aux halles, il luit alors de l'éclat sans vanité du bois blanc. Tout neuf encore, et légèrement ahuri d'être dans une pose maladroite à la voirie jeté sans retour, cet objet est en somme des plus sympathiques, – sur le sort duquel il convient toutefois de ne pas s'appesantir longuement. »

Ainsi peut-on avec le dictionnaire choisir un objet des plus simples (« le cageot ») et établir un rapport autant de forme que de sens avec deux autres mots inscrits dans ses environs immédiats : « la cage » et « le cachot ». En jouant avec sa réalité (dont le dictionnaire donne la définition) autant qu'en s'amusant à le personnifier, on peut écrire alors en quelques lignes son histoire poétique avant de le rendre à son quotidien.

Exerçons-nous avec le mot « poubelle ». Comme le « cageot », quoi de plus ordinaire ? Le dictionnaire, dans une même page, propose à courte distance « pouah », interjection qui exprime le dégoût, et « pot-pourri » qui peut signifier un mélange de choses diverses, pourquoi pas littéraires, que l'on pourrait bien retrouver dans le contenu de notre poubelle… C'est l'idéal pour notre exercice. Essayons-nous donc à écrire un texte poétique sur la poubelle :

« Les poubelles

À peu de distance de « pot-pourri » et de « pouah » la langue française a « poubelle », nom propre qui est devenu si commun. Sagement alignées sur le trottoir, elles semblent attendre l'heure du départ. Pour quelle migration font-elles les hirondelles ? Parfois elles bâillent ou se renversent et vident sur la chaussée leur trop-plein d'amertume.

Sous la pluie, leur peau de plastique brille et l'on oublierait presque qu'elles ne sont là que pour qu'on y dépose nos déchets… »

• Choisissez une page de dictionnaire, prenez **un objet qui deviendra votre sujet d'écriture** et les mots qui l'entourent. À partir de sa définition, écrivez-en le parti pris :

« La chose retenue : ....
....
....

« Son parti pris : ....
....
....
....
....
....
....
....
....
....
....
....
....
....
....
....
....
....
....
....

Voyons maintenant un tout autre jeu d'écriture. Relevant du principe de détournement, son auteur, Jean Cocteau, l'a lui-même classé parmi ses *Paraprosodies* (1958). Il s'agit du « Compte rendu sportif de poésie ».

« Un mot vient de prendre la tête. Un verbe le suit de près et oblige à la pose du point final. Mais non ! Mais non ! Une simple lettre accourt vaincre la majuscule. Le point se sauve. Dans une échappée magnifique, une virgule remonte. Le vide ne bouge pas au centre. Aussitôt le mot de tête l'a vu. Il ne se trouvait pas où il devait être. Il pousse les syllabes à une manœuvre tournante qui se change en offensive, offensive à laquelle personne ne pouvait s'attendre et qui oblige le rejet à perdre l'équilibre. Il tombe, entraînant toute la strophe dans sa chute. Véritable bagarre d'où le mot supprimé s'élance et détermine les autres à se relever et à se précipiter avant que le mot de tête ne s'en aperçoive. Le mot supprimé passe à gauche et l'arbitre annonce un coup franc au bénéfice d'une rime qui semble faiblir. Elle retrouve sa forme. Malheureusement, elle passe trop haut et la reprise entraîne les adjectifs qui attendaient une occasion de jouer un rôle dans la partie. »

● Sur ce même principe, vous pouvez rédiger à votre tour **le reportage d'une étape du Tour de mots, le compte rendu du match de hockey sur dialogues, l'interview après combat des catcheurs d'alexandrins ou le commentaire en direct de la rencontre au sommet du championnat de France de 1ʳᵉ division** entre l'équipe du *Cochon* de Jacques Roubaud et celle du *Bestiaire ou Le cortège d'Orphée* de Guillaume Apollinaire :

« ....
....

En guise d'appoggiature

Dans le langage musical, une appoggiature est une petite note d'agrément, souvent brève, qui se place devant la note principale ; ici, ce bien joli mot, comme une simple croche, donnera le ton d'une nouvelle approche, toute légère, de l'écriture poétique. Nous avons vu, au début de cette partie de notre ouvrage, comment le poème de Jacques Roubaud, jouant de toutes les ressources d'un mot comme « cochon », se présentait comme une leçon d'écriture : le poète nous dit comment il écrit en écrivant. C'est le moment de faire de même. En voici un exemple possible, à partir d'une piste, chiner :

« *Brocante pour un art poétique*

Partez de bon matin pour être le premier
Et parcourez les livres comme on parcourt les rues.
Cherchez, fouinez, chinez autant que vous voudrez
Pour trouver le bon mot, celui qu'il vous fallait.
Puis un autre, des plus rares ou des plus étonnants.
Installez tous ces mots dans votre page en blanc
Et n'oubliez jamais de bien les entourer
D'autres mots que déjà vous aviez dénichés.

Et ça fait un poème.
Enfin, ça se pourrait... »

• À votre tour, **transformez une recette de cuisine, un mode d'emploi d'aspirateur ou la notice d'utilisation de votre appareil photo en art poétique.** Vous pouvez aussi choisir la chasse aux papillons, le plaisir de chiner en quête d'un bel objet dans une brocante ou même celui de surfer sur Internet pour base de votre écrit, mais n'oubliez pas, comme vous venez de le lire dans ces deux poèmes, d'écrire une chute qui ramène la recette à ce qu'elle est, une plaisanterie :

« ....
....
....
....
....
....
....
....
....
....
....
....
....
....
....
....
....
....
....
....
....
....

Raymond Queneau a écrit dans *L'instant fatal*, en 1948, sur ce même thème de l'art poétique :

> « *Mais d'autres fois on pleure on rit*
> *en écrivant la poésie*
> *ça a toujours kékechose d'extrême*
> *un poème.* »

C'est que, même en plaisantant, le plaisir des mots s'ouvre sur l'émotion. Aussi, pour finir ce chapitre, voici un dernier exercice consacré à la poésie et à ses enjeux. Dans *La part manquante*, Christian Bobin propose cette définition de l'écriture : « Ce n'est pas pour devenir écrivain qu'on écrit, c'est pour rejoindre en silence cet amour qui manque à tout amour. »

Ainsi le travail du poète peut-il être de définir ce qui manque et qu'il faut à tout prix rejoindre.

Voici le dernier poème de son livre *Une petite robe de fête* paru en 1991 :

> « *Avec la fin de l'amour, apparaissent les rois mages :*
> *la mélancolie, le silence et la joie. Ils avancent lente-*
> *ment dans l'air bleu. Ils emmènent avec eux une*
> *couronne d'ombre, une larme d'or. Ils viennent de*
> *l'enfance. Ils pénètrent dans l'âme. Lentement. Jour*
> *après jour. La mélancolie, le silence et la joie. Dans*
> *cet ordre-là, toujours : le silence au milieu, au centre.*
>
> *La petite robe claire du silence.* »

- Ce peut être tout simplement cela, la poésie : trouver ses rois mages. Ils peuvent être ce que vous voulez, vos rois mages : sentiments, émotions, états d'âme, attitudes, objets ou êtres vivants. Ce qu'ils diront sur vous ne regarde que vous, mais il s'agit ici de chercher à nommer ces **ambassadeurs** qui viennent, par trois, **saluer l'événement** que vous aurez retenu :

«..
....
....
....
....
....
....
....
....
....
....
....
....
....
....
....
«...
....
....
....
....
....
....
....

Légende 3
Plaisirs du renversement

« *Vingt fois sur le métier remettez votre outrage...* »

Robert Desnos, dans un texte de 1922, *Rrose Sélavy*, détourne ainsi un vers célèbre de *L'Art poétique* de Boileau, poète classique : « Vingt fois sur le métier remettez votre <u>ouvrage</u>. » Un autre jeu de mots, de Paul Eluard cette fois, nous servira aussi de ligne de conduite : « Il faut prendre à César tout ce qui ne lui appartient pas. » Nous avons joué jusque-là avec des textes poétiques qui, pour certains, ressemblaient fort à des collages et, pour d'autres, à de joyeux exercices de détournement. Continuons donc sur cette voie et choisissons de détourner des textes célèbres. Le cochon étant comme nous l'avons vu un animal qui se prête volontiers à toutes sortes de fantaisies, lisons cet extrait d'un conte bien connu, *Les trois petits cochons* :

> « *Il était une fois trois petits cochons qui vivaient avec leur maman dans une petite chaumière. Un jour, la maman appela ses trois fils et leur dit qu'elle ne pouvait plus les élever parce qu'elle était trop pauvre. Je voudrais que vous partiez d'ici et construisiez votre maison, dit-elle, mais prenez garde qu'elle soit bien solide pour que le grand méchant loup ne puisse entrer et vous manger. La maman embrassa ses trois petits cochons et leur dit au revoir les larmes aux yeux. Ils s'en allèrent de chez eux construire leurs maisons.*
> *[...]*
> *Les trois petits cochons rentraient joyeusement chez eux quand*

le grand méchant loup les aperçut. "Comme ils doivent être tendres ! Lequel vais-je manger en premier ? Je vais commencer par le petit cochon dans la maison de paille !" Il frappa à la porte. "Petit cochon, gentil petit cochon, laisse-moi entrer ! – Non, Non ! Par le poil de mon petit menton ! – Alors, je vais souffler et ta maison s'envolera !" Le loup gonfla ses joues, souffla, souffla de toutes ses forces, et la maison de paille s'envola. "Au secours !" cria le premier petit cochon en courant vers la maison de bois de son frère…»

• Transformez cet extrait du conte en lui faisant **subir un outrage amusant** comme d'en inverser la situation. Écrivez maintenant *Les trois petits loups et le grand méchant cochon* :

«..
....
....
....
....
....
....
....
....
....
....
....
....
....
....
....
....

On peut également actualiser le conte pour le transformer. Le créateur de dessins animés Tex Avery a proposé une version « modernisée » du *Petit chaperon rouge* :

Tex Avery, *Le petit chaperon rouge*, 1949

● Proposez à votre tour une réécriture d'un extrait du *Petit chaperon rouge*, des *Trois petits cochons* ou d'un autre conte que vous connaissez bien en ayant en tête cette consigne : **l'action se passe de nos jours** :

« ....
....
....
....
....
....

....
....
....
....
....
....

Et si, dans un texte célèbre de notre tradition littéraire, *Le petit prince* de Saint-Exupéry, on modifiait les réactions des personnages, que se passerait-il ? Au début du chapitre 2, lorsque l'aviateur tombe en panne dans le désert, il se trouve totalement seul et rencontre un bien étrange petit personnage…

« *Le premier soir je me suis donc endormi sur le sable à mille milles de toute terre habitée. J'étais bien plus isolé qu'un naufragé sur un radeau, au milieu de l'Océan. Alors vous imaginez ma surprise, au lever du jour, quand une drôle de petite voix m'a réveillé. Elle disait :*
– S'il vous plaît… Dessine-moi un mouton !
– Hein !
– Dessine-moi un mouton…
J'ai sauté sur mes pieds comme si j'avais été frappé par la foudre. J'ai bien frotté mes yeux. J'ai bien regardé. Et j'ai vu un petit bonhomme tout à fait extraordinaire qui me considérait gravement. »

• Proposez **votre parodie du *Petit prince***. Vous pouvez imaginer que, cette fois, l'aviateur se trouve dans un salon automobile à la mode en train d'astiquer un superbe bolide…

« ....
....
....
....

. . . .
. . . .
. . . .
. . . .
. . . .
. . . .
. . . .
. . . .
. . . .
. . . .
. . . .

Voici à présent une saynète recueillant, apparemment, des propos insensés, agencés comme un collage. La saynète est de Robert Desnos et Benjamin Péret.

Il s'agit d'une mise en scène de la forêt tropicale qu'un arbre généalogique est en train d'envahir.

Les personnages sont des animaux… Des singes, un tamanoir, l'araignée, le kangourou, le madrépore, l'insecte tibia, l'insecte feuille et d'autres encore… :

« Comme il fait beau !
Tous les animaux font cercle autour de la lampe, l'insecte-feuille se jette sur le verre de lampe ; obscurité, cris d'épouvante, silence, puis dans une lumière adoucie apparition du Pied, la plante tournée vers le public. Le rhinocéros vient promener sa corne, de bas en haut, le long de la face interne du pied. Le gros orteil se fléchit lentement. Il reprend sa position normale après le départ du rhinocéros. L'escargot vient alors se placer devant le pied.

L'escargot :
I.   Au commencement la gourmette créa le tabac et l'anthracite.
II.   Le tabac était informe et glabre [lisse]. Les fumées cou-

vraient la face des promeneurs et l'esprit de la gourmette flottait sur l'alcool.

III. Or la gourmette dit : "Que les plombs sautent !" et les plombs sautèrent.

IV. La gourmette vit que les plombs riaient et sépara les plombs des fumées.

V. Elle donna aux plombs le nom d'amour et aux fumées le nom de haine. Et du soir au matin fut le dernier amour.

VI. La gourmette dit aussi : "Que la bouche soit faite au milieu de l'alcool et qu'elle sépare l'alcool d'avec l'alcool."

VII. Et la gourmette fit la bouche et elle sépara l'alcool qui était dans la bouche de celui qui était en dehors de la bouche. Et cela se fit ainsi.

VIII. Et la gourmette donna à la bouche le nom de baiser. Et du soir au matin fut le dernier amour.»

La saynète est en réalité la réécriture d'un texte célèbre de la Bible, la Genèse, dont voici un court extrait (Genèse, 1, 1-5, traduction Émile Osty, Éditions du Seuil, 1973) :

«Au commencement Dieu créa le ciel et la terre.
Or, la terre était un chaos, et il y avait des ténèbres au-dessus de l'Abîme, et l'esprit de Dieu planait au-dessus des eaux.
Dieu dit : "Que la lumière soit", et la lumière fut.
Dieu vit que la lumière était bonne, et Dieu sépara la lumière des ténèbres. Dieu appela la lumière "jour", et les ténèbres, il les appela "nuit". Il y eut un soir, il y eut un matin : premier jour.»

Il s'agit bien d'un décalque du texte biblique, écrit sous hypnose comme le faisaient souvent les poètes surréalistes dans les années 1920. En ne changeant que les mots clés, le travestissement devient des plus réjouissants et surtout riche d'un sens inattendu.

• À votre tour, **jouez au jeu du collage** et réécrivez l'extrait de la Genèse en changeant simplement les mots importants tout en conservant la construction du texte. Sans être sous hypnose, le résultat peut être surprenant et « un premier jour » du monde devenir le « dernier amour » :

« ....
....
....
....
....
....
....
....
....
....

On peut aussi jouer avec les **clichés littéraires** comme avec les textes célèbres. Lisez donc maintenant le portrait que Jacques Roubaud propose dans son roman *La belle Hortense*. Le poète s'amuse avec le cliché de la belle héroïne, personnage que la tradition représente toujours charmante, lisse, pure… :

« *Nous suivrons la procédure traditionnelle en matière de description d'héroïne, c'est-à-dire du haut vers le bas : ses cheveux, dirons-nous, resplendissaient plus que fils d'or, nous dirons plus précisément qu'elle était presque blonde, d'un châtain clair assez doux en une masse de cheveux mi-longs ; au-dessous de chacun des bras, une touffe d'un matériau voisin (elle ne se rasait pas, dieu merci !) était encore un tout petit peu plus claire et parfumée (de manière assez différente sous chacun des bras), d'un parfum un peu poivré, fort, aphrodisiaque paraît-il (du moins c'est ce qu'Hortense avait souvent entendu dire et le jeune homme le lui confirma encore un peu plus tard dans l'après-midi), que, mal-heureusement, nous ne pouvons désigner plus précisément man-quant pour les parfums, ce qui est dommage, d'une échelle linéaire semblable à celle des couleurs, ou encore celle des trem-blements de terre (ah, un parfum 7,9 sur l'échelle de Richter), ou des ouragans (8 Beaufort, par exemple); son front surmontait la fleur de lis; ses clairs sourcils étaient ployés comme de petits arconciaux, et une petite voie lactée les séparait de parmi la ligne du nez, et si équilibrément qu'il n'y en avait ni plus, ni moins que nécessaire; ses yeux qui dépassaient toutes émeraudes, relui-saient en dessous de son front comme deux étoiles, son visage suivait la beauté du matinet, car elle était en sa face de vermeil et de blanc mêlés ensemble en telle manière que l'une couleur et l'autre ne surnagent mauvaisement; la bouche petite et les lèvres épaissettes. »*

● Jouons donc avec « la procédure traditionnelle » du portrait mais quelque peu revue et corrigée à la manière du poète, en ajoutant, par exemple, à la description proposée quelques com-mentaires entre parenthèses. Et surtout en n'hésitant jamais à exagérer les traits de notre personnage. Rédigez donc à votre tour la description humoristique et décalée d'un héros courageux. Tarzan, Superman ou un héros mythologique comme Hercule feront l'affaire :

« ....
....
....
....
....
....
....
....

. . . .
. . . .
. . . .
. . . .
. . . .
. . . .
. . . .
. . . .
. . . .
. . . .
. . . .
. . . .
. . . .
. . . .

Légères fariboles

Si les exercices d'écriture proposés ici sont bien de simples fariboles, des jeux sans prétention, on peut aussi en trouver quelques-uns pas si frivoles que cela. Nous avons vu combien le dictionnaire inspirait les poètes et comme la parodie sous des formes diverses est une source toute trouvée pour des jeux d'écriture. Voici maintenant un usage de la langue qui en est une autre expression : donner des définitions farfelues au vocabulaire en rédigeant son propre dictionnaire.

Lisez cet extrait du *Dictionnaire superflu à l'usage de l'élite et des biens nantis* de Pierre Desproges :

« *Voici le plus petit dictionnaire du monde.*

Il existe sur le marché des dictionnaires imprimés tout menu. Mais, à y regarder de plus près, ils comportent, sous un format réduit, un très grand nombre de mots. Celui-ci est le seul à ne comporter qu'un seul mot par lettre de l'alphabet. […] Il va de soi que les mots écartés du Dictionnaire superflu à l'usage de l'élite et des biens nantis ne l'ont pas été arbitrairement, mais à la suite d'un choix réfléchi et en étroite collaboration avec les plus hautes autorités morales, politiques et religieuses qui se puissent rencontrer dans mon bureau, c'est-à-dire moi et mon chat sur les genoux car octobre est frisquet.

L'auteur.

Alunissage

n.m., du latin luna, *la lune, et du préfixe a, très joli également. Procédé technique consistant à déposer des imbéciles sur un rêve enfantin.*

Bleu, e

Adj., et n.m.
Qui est d'une couleur voisine du rouge, mais pas très : un ciel bleu, des yeux bleus, les flots bleus, une Opel Kadett bleue. Fig. *Bouch. : un steak bleu ; s'emploie pour désigner un steak rouge.* Fig. *Mar. :* bizut ; "Faut pas me prendre pour un bleu" *(Rackham-le-Rouge).*

Chaussure

n.f. La pénurie de chaussure désoblige le grincheux.

Directeur

n.m., du latin di, *la première porte, et* rectus, *à droite. On ne dit pas* un petit directeur, *on dit* un chef de rayon. *On ne dit pas* un grand directeur, *on dit* un chef de diamètre. *Le féminin de* directeur *est* la femme du directeur. »

• Essayons-nous à l'exercice de la définition. Il suffit de retenir quelques lettres, un mot par lettre et de rédiger la définition du mot qui dira sur son origine et ses significations ce que le mot vous suggérera d'amusant sur le monde et son spectacle. Vous pouvez poursuivre la liste alphabétique avec les mots proposés et puis vous lancer seuls :

Émulation (du latin *mula*, la « mule »)

« ....
....
....

Fourrage (de « four » et de « rage »)

« ....
....
....

Tripaille (du verbe « trier » et de « paille »)

« ....
....
....

« ....
....
....

« ....
....
....

Comme des apostilles

Une apostille est un ajout, un supplément en bas de page, ici quelques nouvelles activités d'écriture pour finir cette troisième partie de notre ouvrage. Pour commencer : comment décrire un mot qui désigne une réalité inconnue de son lecteur ? Lisez cet extrait d'un récit de voyage rédigé par un poète comique, héritier de Molière. En 1681, Jean-François Regnard entreprit un périple de quelques mois en Laponie, qu'il raconta dans ses *Voyages* (1682-1683) :

« *Nous fûmes assez heureux à la chasse le dimanche, nous rapportâmes quantité de gibier ; mais nous ne vîmes rien qui mérite d'être écrit, qu'une paire de ces longues planches de bois de sapin, avec lesquelles les Lapons courent d'une si extraordinaire vitesse, qu'il n'est point d'animal, si prompt qu'il puisse être, qu'ils n'attrapent facilement, lorsque la neige est assez dure pour les soutenir.*

Ces planches extrêmement épaisses sont de longueur de deux aunes [à peu près 2 m 40] *et larges d'un demi-pied* [plus ou moins 16 cm] *; elles sont relevées en pointe sur le devant, et percées au milieu dans l'épaisseur, qui est assez considérable en cet endroit, pour pouvoir y passer un cuir qui tient les pieds fermes et immobiles. Le Lapon qui est dessus, tient un long bâton à la main, où d'un côté est attaché un rond de bois, afin qu'il n'entre pas dans la neige, et de l'autre un fer pointu. Il se sert de ce bâton pour se donner le premier mouvement, pour se soutenir en courant, pour se conduire dans sa course, et pour s'arrêter quand il veut ; c'est aussi avec cette arme qu'il perce les bêtes qu'il poursuit, lorsqu'il en est assez près.*

Il est assez difficile de se figurer la vitesse de ces gens, qui peu-

vent avec ces instruments surpasser la course des bêtes les plus vites ; mais il est impossible de concevoir comment ils peuvent se soutenir en descendant les fonds les plus précipités, et comment ils peuvent monter les montagnes les plus escarpées. C'est pourtant, Monsieur, ce qu'ils font avec une adresse qui surpasse l'imagination, et qui est si naturelle aux gens de ce pays, que les femmes ne sont pas moins adroites que les hommes à se servir de ces planches. Elles vont visiter leurs parents, et entreprennent de cette manière les voyages les plus difficiles et les plus longs. »

Vous avez deviné quel est l'objet de cet écrit... Il s'agissait pour l'écrivain de convaincre par son mémoire de l'intérêt, pour nos régions où la neige sévit, de pratiquer ce mode de transport aussi inconnu qu'original : le ski.

• Sur ce modèle, présentez à un public du passé **un objet aujourd'hui courant mais hier tout à fait insolite ou déroutant**. Vous pouvez, par exemple, décrire et vanter les mérites de l'ordinateur ou du téléphone portable, à une époque où il n'existait pas d'autres moyens de communication que de prendre sa plume pour écrire. La contrainte de l'exercice est la suivante : il ne faut pas nommer l'objet par son nom – puisqu'il est inconnu – mais votre lecteur doit pouvoir le deviner sans peine comme cela est le cas dans le texte ci-dessus :

« ....
....
....
....
....
....
....
....

Imaginons maintenant une autre situation. **Un objet inconnu apparaît brutalement dans une civilisation qui ne sait qu'en faire.** C'est ainsi que commence le récit des *Dieux sont tombés sur la tête*. L'histoire se passe au Kalahari, chez les bushmen qui sont « petits, il est vrai, mais gracieux et délicatement proportionnés ».

« Voilà le peuple le plus comblé de la terre. Ils ne connaissent ni crime, ni châtiment, ni loi, policier, juge, chef ou patron. Ils sont persuadés que les dieux n'ont placé sur terre que des choses bonnes et utiles pour eux. »
Et voilà ce qui arrive…
« Depuis quelque temps, il y avait d'étranges apparitions dans le ciel. Des oiseaux bruyants qui volaient sans battre des ailes. Un jour quelque chose tomba du ciel.
Khi n'avait jamais rien vu de semblable. C'était transparent comme l'eau et c'était plus dur que tout ce qu'il connaissait au monde. Il se demanda pourquoi les dieux avaient envoyé cette chose sur la terre. Cette chose plus étrange et plus belle que tout ce qu'ils connaissaient leur était envoyée par les dieux. Pourquoi ? Kabo coinça son doigt dans la chose à la plus grande joie des enfants. Khi essaya la chose pour assouplir des lianes, elle avait la forme et le poids idéaux. Elle était aussi merveilleusement lisse pour travailler les peaux de serpents. Kabo découvrit ses propriétés musicales et chaque jour ils trouvaient à la chose un usage nouveau. Dure, lourde, lisse, c'était la merveille des merveilles… »

La « chose » en question est en fait… une bouteille de Coca-Cola jetée d'un avion !

● Imaginez maintenant qu'un **téléphone portable** tombe de l'avion chez les bushmen :

« ....
....
....
....
....
....
....
....
....
....
....
....
....

● Dans le film, la bouteille de Coca finit par provoquer la discorde dans le village et ses habitants lui trouvent un nom : « la malfaisante ». L'histoire raconte alors notamment comment ils cherchent à s'en débarrasser. Imaginez la suite de votre texte et racontez **quels désagréments provoque l'apparition du téléphone portable** chez ce peuple tranquille :

« ....
....
....
....
....
....
....
....
....
....

....
....
....
....

Parfois, un objet nouveau peut susciter un rejet total. Ce fut le cas de la tour Eiffel dénoncée comme une monstruosité qui dénaturait Paris dans le journal *Le Temps* du 14 février 1887 dans un article au titre éloquent, « Les artistes contre la tour Eiffel » :

« *Nous venons, écrivains, peintres, sculpteurs, architectes amateurs passionnés de la beauté, jusqu'ici intacte, de Paris, protester de toutes nos forces, de toute notre indignation, au nom du goût français méconnu, au nom de l'art et de l'histoire française menacés, contre l'érection, en plein cœur de notre capitale, de l'inutile et monstrueuse tour Eiffel, que la malignité publique, souvent empreinte de bon sens et d'esprit de justice, a déjà baptisée du nom de "Tour de Babel". [...]*

Car la tour Eiffel, dont la commerciale Amérique elle-même ne voudrait pas, c'est, n'en doutez point, le déshonneur de Paris. Chacun le sent, chacun le dit, chacun s'en afflige profondément et nous ne sommes qu'un faible écho de l'opinion universelle, si légitimement alarmée. Enfin lorsque les étrangers viendront visiter notre exposition, ils s'écrieront, étonnés : "Quoi ! C'est cette horreur que les Français ont trouvée pour nous donner une idée de leur goût si fort vanté ?" Et ils auront raison de se moquer de nous parce que le Paris des gothiques sublimes [...] sera devenu le Paris de M. Eiffel.

Il suffit d'ailleurs, pour se rendre compte de ce que nous avançons, de se figurer un instant une tour vertigineusement ridicule dominant Paris, ainsi qu'une gigantesque cheminée d'usine, écrasant de sa masse barbare Notre-Dame, la Sainte-Chapelle, le dôme des Invalides, l'Arc de triomphe, tous nos monuments humiliés, toutes nos architectures rapetissées, qui disparaîtront dans ce rêve stupéfiant. Et pendant vingt ans nous verrons s'allonger sur la ville entière, frémissante encore du génie de tant de siècles, nous verrons s'allonger comme une tâche d'encre l'ombre odieuse de l'odieuse colonne de tôles boulonnée… »

Robert Delaunay, *La Tour Eiffel*, 1926,
musée national d'Art moderne,
Centre Georges-Pompidou, Paris

Robert Delaunay avait deux ans quand commença l'érection de la tour, vingt-cinq quand elle fut terminée. Il ne la trouvait pas monstrueuse, lui, mais au contraire il en fit une source d'inspiration.

• Il s'agit maintenant de **répondre à la protestation des artistes contre la tour.** Défendez-la ! Vous savez bien ce qu'elle est devenue : le symbole même de Paris. Prenez la parole au nom d'un admirateur de Gustave Eiffel, écrivez à la première personne et choisissez quelques-unes des idées des protestataires pour les contester :

« ....
....
....
....
....
....
....
....
....
....
....
....
....
....
....
....
....
....
....
....
....
....
....
....
....
....
....

Reprenons maintenant nos outrages.

Imaginez que le manuscrit de la Bible parvienne entre les mains d'un lecteur d'une maison d'édition qui doit en faire un compte rendu écrit et estimer si ce texte est publiable… C'est ce qu'a fait Umberto Eco dans *Pastiches et postiches* (1988). Voici son rapport de lecture sur la Bible :

« *Je dois dire que, quand j'ai commencé à lire le manuscrit, et durant les premières centaines de pages, j'ai été enthousiasmé. Il est plein d'action et on y trouve tout ce que le lecteur demande aujourd'hui à un livre d'évasion : du sexe (beaucoup), avec des adultères, de la sodomie, des meurtres, des incestes, des guerres, des massacres, et ainsi de suite.*

L'épisode de Sodome et Gomorrhe, avec les travestis qui veulent se faire les deux anges, est rabelaisien ; les aventures de Noé sont du pur Jules Verne ; la fuite d'Égypte est une histoire qui sera certainement portée un jour ou l'autre à l'écran… Bref, le véritable roman-fleuve, bien construit, ne lésinant pas sur les coups de théâtre, plein d'imagination, avec juste ce qu'il faut de messianisme pour plaire sans tomber dans le tragique.

Puis, en allant plus loin, je me suis aperçu qu'il s'agissait en fait d'une anthologie de différents auteurs, avec de nombreux, trop nombreux morceaux de poésie, dont certains franchement médiocres et ennuyeux […].

Personnellement, je conseillerais de traiter pour voir si on peut publier à part les cinq premiers livres. Là, nous marchons en terrain sûr. Avec un titre du genre Les Désespérés de la Mer Rouge. »

• Sur ce modèle, **rédigez à votre tour un compte rendu de lecture décalé** des œuvres citées plus haut comme *Le petit prince* ou *Le petit chaperon rouge* ou une œuvre très célèbre que vous connaissez bien :

« ....
....
....
....
....
....
....
....
....
....
....
....
....
....
....
....
....
....
....
....
....
....
....
....
....
....
....

Umberto Eco encore s'est amusé dans le même ouvrage à écrire un reportage en direct, « La découverte de l'Amérique » :

« Telmon – *Bonsoir. Nous sommes le 11 octobre 1492 et il est 19 heures. Nous commençons notre liaison en direct avec le navire amiral de l'expédition Colomb qui devrait, avant 7 heures demain matin 12 octobre 1492, conduire le premier thalassonaute européen à poser le pied sur une terre nouvelle, une nouvelle planète, si vous permettez la métaphore, cette* Terra Incognita *rêvée par tant d'astronomes, de géographes, de cartographes et de voyageurs, qui pour certains serait les Indes, atteintes par l'ouest et non par l'est, et pour d'autres rien de moins qu'un nouveau continent, immense et inexploré. Dès cet instant, la radiotélévision restera en liaison permanente pendant 25 heures consécutives. Nous serons reliés à la fois avec la caméra placée sur la* Santa María, *le vaisseau amiral, et avec la station des Canaries, ainsi qu'avec le studio Sforca de Milan, l'université de Salamanque et celle de Wittenberg.*

J'ai à mes côtés le professeur Léonard de Vinci, éminent savant et futurologue qui nous fournira au fur et à mesure les explications nécessaires pour comprendre les détails techniques de cette extraordinaire aventure. »

Voici, par exemple, un autre événement historique très connu, la bataille de Roncevaux. Dans cet extrait de *La Chanson de Roland* (laisses CXXIII et CXXIV) est relaté le combat. Un certain Grandoine vient de trancher allégrement la tête de quelques chevaliers français qui forment l'arrière-garde de l'armée de Charlemagne commandée par Roland.

« *Le comte Roland, son épée sanglante à la main, a bien entendu les paroles de désespoir des Français. Il éprouve une si violente douleur qu'il croit que son cœur va éclater, et il crie au* païen : *"Que Dieu te comble de tout le mal possible ! Tu m'as tué quelqu'un que je compte te faire payer bon prix !" Il éperonne son cheval, témoin de la dispute [?]. Quel que soit celui qui paiera, les voilà aux prises.*

Grandoine était brave, valeureux, courageux, plein d'ardeur et de bravoure au combat. Sur son chemin, il rencontre Roland. Il ne l'avait encore jamais vu mais il le reconnaît sans hésitation à son visage farouche, à sa belle stature [...]. Il ne peut dominer sa frayeur et veut fuir mais en vain. Le comte Roland le frappe et avec tant de vigueur qu'il fend son casque jusqu'au nasal, tranche son nez, sa bouche, ses dents, tout son buste [...] et profondément l'échine du cheval. Il les tue tous les deux et sans recours possible. Du coup, ceux d'Espagne se lamentent et se désolent tous mais les Français exultent : "Comme il sait bien frapper, notre champion !" »

• **À vous** maintenant de rédiger le reportage en direct que l'on pourrait faire de cet épisode :

« ....
....
....
....
....
....
....
....
....
....
....
....
....

Légende 4
Puisque presque tout est imitation…

Mystères du quotidien

Des événements particuliers, des créations surprenantes sont des sources d'inspiration fructueuses. Mais le quotidien est lui aussi sujet d'étonnement… Dans « La chambre des statues », l'écrivain argentin Jorge Luis Borges parle d'une porte qui ne sert ni à entrer ni à sortir :

> *« Dans les premiers temps, existait au royaume d'Andalousie une cité où résidèrent ses rois et qui s'appelait Lebtit ou Ceuta ou Jaén. Dans cette ville, il y avait un château fort dont la porte à deux battants ne servait ni pour entrer ni pour sortir. Elle était destinée à rester fermée. Chaque fois qu'un roi mourait et qu'un autre roi héritait de son auguste trône, il ajoutait de ses mains une nouvelle serrure à la porte. À la fin, il y eut vingt-quatre serrures, une pour chaque roi. Alors, il advint qu'un homme pervers qui n'appartenait pas à la maison royale s'empara du pouvoir et, au lieu d'ajouter une serrure, voulut qu'on ouvrît les vingt-quatre précédentes, afin de connaître l'intérieur du château… »*

● **Inventez à votre tour l'histoire d'une porte mystérieuse**. Placez-la dans une ville au nom évocateur, réelle ou imaginée :

« ....
....

....
....
....
....
....
....
....
....
....
....
....
....
....
....
....
....
....
....
....
....

Des lieux mystérieux qui suscitent bien des rêveries, l'écrivain italien Italo Calvino en a créé dans *Les villes invisibles* comme celle appelée « Tecla ».

> *« Celui qui arrive à Tecla voit peu de choses de la ville, derrière les palissades de planches, les abris en toile de sac, les échafaudages, les armatures métalliques, les ponts de bois suspendus à des cordes ou soutenus par des chevalets, les échelles, les treillis.*
> *Alors, il demande :*

– Pourquoi la construction de Tecla dure-t-elle si longtemps ?

Et les habitants, sans arrêter de hisser des seaux, de jouer des fils à plomb, de promener vers le haut et le bas de longs pinceaux, répondent :

– Pour que ne commence pas la destruction. »

● Imaginez à votre tour un lieu en construction comme « Tecla » et rédigez, en quelques lignes, **votre propre rêverie** à son sujet. Un court dialogue pourrait s'établir entre un habitant de cette ville et un voyageur étranger dont les questions resteront finalement sans réponses :

« . . . .

. . . .

. . . .

. . . .

. . . .

. . . .

. . . .

. . . .

. . . .

. . . .

. . . .

. . . .

. . . .

. . . .

. . . .

. . . .

. . . .

Voici une autre ville « invisible », Calvani.

Extrait de *The Book of Schuiten*, par **Benoît Peeters**, Éditions Casterman, 2004

- À partir de ce que vous voyez sur cette illustration, proposez **une description de Calvani** dans laquelle vous ferez apparaître son aspect à la fois mystérieux et terrifiant :

« ....
....
....
....
....
....
....
....
....
....
....
....
....
....
....
....
....
....
....
....
....
....
....
....
....
....
....

Le mot, le nom, le personnage

Tout autant que l'invention d'un lieu imaginaire, celle d'un personnage, à partir d'un mot insensé aux consonances étranges, peut être une source de récit. Lisez ce début d'une nouvelle de Franz Kafka intitulée : « Le souci du père de famille ».

« Les uns disent que le mot Odradek vient du slave et cherchent en conséquence à établir la formation du mot. D'autres, en revanche, pensent qu'il vient de l'allemand et qu'il n'a été qu'influencé par le slave. Mais l'incertitude des deux interprétations permet à bon droit de conclure qu'aucune des deux n'est exacte, d'autant que ni l'une ni l'autre ne permet de donner un sens à ce mot.

Personne, naturellement, ne se livrerait à ces spéculations s'il n'existait pas vraiment un être qui s'appelle Odradek. À première vue, il ressemble à une bobine de fil plate, en forme d'étoile et on dirait en effet qu'il est entouré de fil; à vrai dire, il ne pourrait s'agir que de vieux bouts de fil dépareillés, de toute nature et de toute couleur, noués bout à bout, mais aussi emmêlés les uns dans les autres. Mais ce n'est pas seulement une bobine : du centre de l'étoile sort aussi un petit bâtonnet transversal et à ce bâtonnet un autre bout de bois vient encore s'ajuster à angle droit. À l'aide de ce bout de bois d'un côté, et d'une des extrémités de l'étoile de l'autre, le tout parvient à tenir debout comme sur des jambes.

On serait tenté de penser que cet objet a eu dans le passé une forme fonctionnelle et qu'on ne le voit aujourd'hui que brisé. Mais ce ne semble pas être le cas; rien ne montre du moins qu'il en soit ainsi; nulle part on ne trouve de pièce rapportée ni de trace de fracture qui autorise à le penser; le tout paraît, en effet, vide de sens, mais se suffisant à lui-même. On ne peut d'ailleurs rien dire de plus à ce sujet, car Odradek est extraordinairement mobile et il est impossible de l'attraper.

Il se tient alternativement au grenier, dans la cage d'escalier, dans les couloirs, dans le vestibule. Il disparaît quelquefois pendant des mois, c'est sans doute qu'il est allé dans d'autres maisons, mais il revient immanquablement dans la nôtre. Quelquefois, quand on passe la porte et qu'on le trouve en bas, appuyé contre la rampe de l'escalier, on a envie de lui adresser la parole. On ne lui pose naturellement pas de questions difficiles, mais – on y est déjà porté par sa petite taille – on le traite en enfant. "Comment t'appelles-tu donc ?" lui demande-t-on. – Odradek, répond-il. – Et où habites-tu ? – Pas de domicile fixe", dit-il en riant ; mais c'est un rire tel qu'on peut le produire quand on n'a pas de poumons, un rire qui ressemble au bruit que fait le vent dans les feuilles mortes. Cela met fin d'ordinaire à la conversation.»

● Donnons tout d'abord **l'origine d'un mot inventé** dont la forme et la provenance imaginaires serviront de point de départ à la narration :

« Spinelletti : ....
....
....
....

Needlàn : ....
....
....
....

Luvingmar : ....
....
....
....

● Choisissez un de ces mots et rédigez le début d'une histoire :

« ....
....
....
....
....
....
....
....
....
....
....
....
....
....
....
....
....
....
....
....
....
....
....
....
....
....
....
....
....
....

Vous vous souvenez du géant de Rabelais, Gargantua.
Son père s'appelle « Grandgousier ». Pourquoi donc ? Parce qu'il a un fort grand gosier et boit et mange comme un géant…

Gargantua par **Gustave Doré**, 1873

Et voici comment, au chapitre 7, à sa naissance, son fils fut appelé « Gargantua » :

   « Le bonhomme Grandgousier, buvant et s'amusant avec les autres, entendit le cri horrible que son fils avait fait entrant dans la

lumière de ce monde, quand il bramait en demandant : "À boire, à boire, à boire !", il en dit : "Que grand tu as !" (Sous-entendu le gosier). Ce qu'entendant, les assistants dirent que vraiment il devait avoir pour cela le nom Gargantua... »

Gargantua signifiant « grande gorge », c'est-à-dire goinfre, gros mangeur comme le nom de son père... Nommer un personnage, c'est ainsi dire déjà ce qu'il est.

● L'illustration présente Gargantua en plein repas. En jouant avec le sens de son nom, racontez cet épisode :

« ....
....
....
....
....
....
....
....
....
....
....
....
....
....
....
....
....
....
....
....
....

Lisez à présent un extrait des *Funérailles de la Grande Mémé* écrit par Gabriel García Márquez, un conte contemporain qui commence ainsi :

« *Et maintenant, incrédules du monde entier, l'histoire véridique de la Grande Mémé, souveraine absolue du royaume de Macondo, qui gouverna sur ses domaines durant quatre-vingt-douze ans et mourut en odeur de sainteté un mardi du dernier mois de septembre, et aux funérailles de laquelle assista le Saint-Père en personne.* »

Ainsi le nom même de « Grande Mémé » dit-il bien ce qu'est ce personnage, énorme et imposant, maîtresse femme de Macondo.

« *Tout le monde croyait par habitude que la Grande Mémé était la maîtresse absolue des eaux courantes et dormantes, des pluies d'hier et de demain, des chemins vicinaux, des poteaux télégraphiques, des années bissextiles et de la chaleur, et qu'elle avait en outre un droit coutumier* [traditionnel] *sur la vie et les haciendas* [les grandes propriétés]. *Quand elle s'asseyait le soir sur son balcon pour y prendre le frais, avec tout le poids de ses viscères et de son autorité affalée dans son vieux rocking-chair de liane, elle paraissait en vérité infiniment riche et puissante, la matrone la plus riche et la plus puissante du monde.* »

• **À VOUS d'inventer un nom de personnage**, et de décrire en quelques lignes ce que ce nom vous suggère. Il s'agit de faire le portrait de votre personnage.

Voici une piste, suivez-la si vous le préférez : Verdun, personnage de l'écrivain Daniel Pennac, est un bébé. Comment l'imaginer, sinon comme un enfant explosif qui ne laisse jamais en paix ses parents ?

« . . . . »

. . . . »

. . . . »

. . . . »

. . . . »

. . . . »

. . . . »

. . . . »

. . . . »

. . . . »

. . . . »

. . . . »

. . . . »

. . . . »

. . . . »

. . . . »

. . . . »

Un personnage peut avoir un nom et un surnom. Un surnom est déjà toute une histoire… L'écrivain martiniquais Tony Delsham raconte comment le personnage éponyme de *Lapo Farine* justifie son surnom :

« *Dans tout le Nord Caraïbe, on le désignait désormais sous le sobriquet de Lapo Farine car, de la tête aux pieds, et dans un ultime défi, il se couvrait le corps de farine. Le résultat était terrifiant : le nez prenait un aspect granulé, excroissance ignoble déposée n'importe comment sur le visage ; les yeux, encore plus globuleux, lançaient des éclairs ; le front bas et épais présentaient des reliefs accidentés. Mais sous les feuilles des arbres, il riait. Il démontrait à la nature que non seulement il acceptait sa laideur, mais il parachevait l'œuvre. Lapo Farine ! Ce nom lui convenait.* »

● Comment à votre avis *Clef-des-cœurs,* un personnage de Jean Giono, justifierait-il son surnom ? Puis faites son autoportrait :

« Je m'appelle Clef-des-cœurs parce que.............................
....
....
....
....
....
....
....
....
....
..:..
....
....
....
....
....
....

Voici maintenant un autre jeu d'écriture sur le portrait d'un personnage. Lisez celui du terrible inspecteur Javert, héros des *Misérables* de Victor Hugo (1ʳᵉ partie, livre 5 « La descente », 1862) :

« La face humaine de Javert consistait en un nez camard [écrasé], *avec deux profondes narines vers lesquelles montaient sur ses deux joues d'énormes favoris* [barbe sur les joues]. *On se sentait mal à l'aise la première fois qu'on voyait ces deux forêts et ces deux cavernes. Quand Javert riait, ce qui était rare et terrible, ses lèvres minces s'écartaient, et laissaient voir, non seulement ses dents, mais ses gencives, et il se faisait autour de son nez un plis-*

sement épaté et sauvage comme sur un mufle de bête fauve. Javert sérieux était un dogue ; lorsqu'il riait, c'était un tigre. Du reste, peu de crâne, beaucoup de mâchoire, les cheveux cachant le front et tombant sur les sourcils, entre les deux yeux un froncement central permanent comme une étoile de colère, le regard obscur, la bouche pincée et redoutable, l'air du commandement féroce. »

● **Changeons le point de vue** sur le personnage décrit. Imaginez le portrait que pourrait faire de lui la petite Cosette, fille de Fantine, une jeune femme sans le sou que le policier arrête alors qu'elle se prostitue pour survivre. Elle pourrait bien voir le diable en voyant Javert !

« ....
....
....
....
....
....
....
....
....
....
....
....
....
....
....
....
....
....
....

Dernière petite inflorescence

L'écriture ayant beaucoup en commun avec la botanique, les activités proposées dans cet ouvrage peuvent être autant de fleurs en grappes, épis, ombelles et autres cymes qui feront pour finir comme un bouquet d'exercices. Continuons donc à fleurir ce petit carnet. Et retrouvons Italo Calvino quand celui-ci s'amuse à faire se rencontrer un personnage de fiction et un personnage historique dans *Le baron perché*.

Côme Laverse du Rondeau vit dans les arbres depuis l'âge de douze ans. Le 15 juin 1767, à midi, au moment de se mettre à table dans la villa d'Ombreuse, le jeune baron refuse de manger un plat d'escargots, quitte la maison et grimpe sur un arbre, annonçant qu'il ne descendrait plus jamais. Il le fait, passe sa vie dans les arbres et devient très célèbre. Les hommes les plus illustres viennent à Ombreuse pour le rencontrer. Ainsi l'auteur, par la voix de son narrateur, le jeune frère de Côme, raconte-t-il la visite de Napoléon au « baron perché » :

« [Napoléon] se tut, comme surpris par une pensée, et se tournant vers le vice-roi Eugène :
– Tout cela me rappelle quelque chose… Quelque chose que j'ai déjà vu…
Côme vint à son aide :
– Ce n'est pas Votre Majesté. C'est Alexandre le Grand.
– Mais oui ! fit Napoléon. Certainement ! La rencontre d'Alexandre et de Diogène.
– Vous n'oubliez jamais votre Plutarque, Sire, dit Beauharnais.
– Seulement, cette fois-là, ajouta Côme, c'est Alexandre qui demanda à Diogène ce qu'il pourrait faire pour lui ; sur quoi Diogène le pria de s'écarter…

Napoléon fit claquer ses doigts comme s'il trouvait enfin une phrase qu'il cherchait depuis un moment. Il s'assura d'un coup d'œil que les dignitaires de sa suite l'écoutaient, et prononça, dans un excellent italien :
– Si je n'avais été l'empereur Napoléon, j'aurais bien voulu être le citoyen Côme Rondeau !
Il fit volte-face et s'éloigna. Sa suite lui emboîta le pas au milieu d'un grand cliquetis d'éperons. »

● **À vous** d'inventer **une rencontre entre un personnage de fiction et une personnalité ayant réellement existé**. Vous pouvez choisir la Grande Mémé dans le conte de García Márquez ou l'inspecteur Javert, ou bien mettre en scène un héros de vos récentes lectures :

« ....
....
....
....
....
....
....
....
....
....
....
....
....
....
....
....
....
....

En fait d'apothéose

Une apothéose n'étant rien d'autre que la dernière partie d'une manifestation artistique ou sportive, nous vous proposons ici un dernier exercice d'écriture qui devrait vous permettre de vous exprimer pleinement. Comme nous n'avons pas fait autre chose dans cet ouvrage que lier lecture et écriture, finissons ce parcours par la lecture d'une œuvre qui raconte l'histoire… d'un lecteur. Dans cette courte nouvelle extraite des *Armes secrètes* et intitulée « Continuité des parcs », Julio Cortázar écrit sur le plaisir mais aussi les risques et périls de la lecture :

« Il avait commencé à lire le roman quelques jours auparavant. Il l'abandonna à cause d'affaires urgentes et l'ouvrit de nouveau dans le train, en retournant à sa propriété. Il se laissait lentement intéresser par l'intrigue et le caractère des personnages. Ce soir-là, après avoir écrit une lettre à son fondé de pouvoirs et discuté avec l'intendant une question de métayage, il reprit sa lecture dans la tranquillité du studio, d'où la vue s'étendait sur le parc planté de chênes. Installé dans son fauteuil favori, le dos à la porte pour ne pas être gêné par une irritante possibilité de dérangements divers, il laissait sa main gauche caresser de temps en temps le velours vert. Il se mit à lire les derniers chapitres. Sa mémoire retenait sans effort les noms et l'apparence des héros. L'illusion romanesque [l'invention] *le prit presque aussitôt. Il jouissait du plaisir presque pervers de s'éloigner petit à petit, ligne après ligne, de ce qui l'entourait, tout en demeurant conscient que sa tête reposait commodément sur le velours du dossier élevé, que les cigarettes restaient à portée de sa main et qu'au-delà des grandes fenêtres le souffle du crépuscule semblait danser sous les chênes.*

Phrase après phrase, absorbé par la sordide alternative où se débattaient les protagonistes [les héros]*, il se laissait prendre aux* *images qui s'organisaient et acquéraient progressivement couleur et vie. Il fut ainsi témoin de la dernière rencontre dans la cabane parmi la broussaille. La femme entra la première, méfiante. Puis vint l'homme, le visage griffé par les épines d'une branche. Admirablement, elle étanchait de ses baisers le sang des égratignures. Lui, se dérobait aux caresses. Il n'était pas venu pour répéter le cérémonial d'une passion clandestine protégée par un monde de feuilles sèches et de sentiers furtifs. Le poignard devenait tiède au contact de sa poitrine. Dessous, au rythme du cœur, battait la liberté convoitée. Un dialogue haletant se déroulait au long des pages comme un fleuve de reptiles, et l'on sentait que tout était décidé depuis toujours. Jusqu'à ces caresses qui enveloppaient le corps de l'amant comme pour le retenir et le dissuader, dessinaient abominablement les contours de l'autre corps, qu'il était nécessaire d'abattre. Rien n'avait été oublié : alibis, hasards, erreurs possibles. À partir de cette heure, chaque instant avait son usage minutieusement calculé. La double et implacable répétition était à peine interrompue le temps qu'une main frôle une joue. Il commençait à faire nuit.*

Sans se regarder, étroitement liés à la tâche qui les attendait, ils se séparèrent à la porte de la cabane. Elle devait suivre le sentier qui allait vers le nord. Sur le sentier opposé, il se retourna un instant pour la voir courir, les cheveux dénoués. À son tour, il se mit à courir, se courbant sous les arbres et les haies. À la fin, il distingua dans la brume mauve du crépuscule l'allée qui conduisait à la maison. Les chiens ne devaient pas aboyer et ils n'aboyèrent pas. À cette heure, l'intendant ne devait pas être là et il n'était pas là. Il monta les trois marches du perron et entra. À travers le sang qui bourdonnait dans ses oreilles, lui parvenaient encore les paroles de la femme. D'abord une salle bleue, puis un corridor, puis un escalier avec un tapis. En haut, deux portes. Personne dans la première pièce, personne dans la seconde. La porte du salon, et alors, le poignard en main, les lumières des grandes baies, le dossier élevé du fauteuil de velours vert et, dépassant le fauteuil, la tête de l'homme en train de lire un roman. »

Il s'agit ici d'une mise en abyme : le personnage qui lit est aussi celui qui est acteur dans le texte lu, le lecteur de fiction devient lui-même le héros de la fiction qui le captive.

• **À vous** d'écrire sur la lecture. Reprenez, par exemple, l'extrait de *La princesse de Babylone* de Voltaire avec lequel nous avons joué déjà au début de cet ouvrage et imaginez un lecteur de cette histoire tellement « pris » par sa lecture qu'il finit par être lui-même un personnage du récit :

« ....

....

....

....

....

....

....

....

....

....

....

....

....

....

....

....

....

....

....

....

....

....

Bibliographie

Légende 1

À propos des personnages de l'antiquité et des monstres mythologiques, vous pouvez lire *La Mythologie* de Edith Hamilton, éditions Marabout, 1978.

Vous pouvez trouver aussi sur le Net des sites consacrés aux histoires mythologiques comme : http://www.histoiredumonde.net/antiquité.

Vous pouvez aussi chercher la présentation d'autres animaux fabuleux dans une encyclopédie (comme Encyclopédie Hachette, livre ou multimédia, 2001 : rubriques « Les animaux fabuleux », « Fantasmes et représentations fantastiques », ou « Apocalypse et bestiaires »).

Légende 2

Vous lirez notamment sur le site de l'académie de Lille des variantes possibles d'exercices d'écriture à propos de ce poème de Jacques Roubaud, appelées « animoésie » et réalisées par le collège Jean-Moulin : www. ac-lille.fr/jmoulin-strandre/animoesie.htm.

Sur le site www.philagora.net/auteurs/ponge vous trouverez des jeux d'écriture variés intitulés « Avec Ponge on va pas s'ennuyer ».

Légende 3

Parodier les textes bibliques est une vraie tradition littéraire et vous pouvez en retrouver quelques exemples fameux dans le livre de Bernard Sarrazin, *La Bible parodiée*, paru aux Éditions du Cerf en 1993.

Il existe toute une littérature de contes parodiques comme ceux de Boris Moissard et Philippe Dumas, *Les Contes à l'envers*, L'École des loisirs, 1977. Et en ce qui concerne *Le Petit Chaperon rouge*, le nombre de liens Internet et de parodies est impressionnant. Par exemple, sur www.cafe.umontreal.ca comme sur www.leconcombre.com vous trouverez des variantes « déjantées », des « blues » du Petit Chaperon rouge. Jacques Ferron, écrivain québécois, a publié beaucoup de contes de son cru, par exemple *Contes du pays incertain* en 1962.

Plusieurs sites Internet sont consacrés aux *cartoons* de Tex Avery comme www.leconcombre.com/droopy.

Légende 4

Voltaire, avec lequel nous avons joué à partir de *La Princesse de Babylone* a écrit dans *Les Lettres philosophiques* en 1734 : « Presque tout est imitation, les esprits les plus originaux empruntent les uns aux autres », et il a ajouté cette belle formule : « Il en est des livres comme du feu de nos foyers : on va prendre ce feu chez son voisin, on l'allume chez soi, on le communique à d'autres, et il appartient à tous. » Donc n'hésitez pas et continuez, en lisant dans ce carnet des textes d'auteurs, à produire des écrits…

L'œuvre de François Schuiten et Benoît Peeters est publiée aux Éditions Casterman, 13 albums dans la série des *Cités obscures*, du premier volume de *Brüsel* en 1993 à *La Frontière invisible* en 2002.

Légende 1
Comment les poètes deviennent magiciens

Légende 2
La poésie peut être un simple jeu

Légende 3
Plaisirs du renversement

Légende 4
Puisque presque tout est imitation…

Sources des textes

3 : François Rabelais, *Gargantua*, modernisation de Joël Mansa.

4-6 : Philostrate de Lemnos, *Vie d'Apollonios de Tyane*, dans *La Princesse de Babylone* de Voltaire, présenté par Marie-France Azima, Le Livre de poche-Classiques d'aujourd'hui, 1994.

14-16 : Voltaire, *La Princesse de Babylone*, dans *Zadig et autres contes*, Gallimard, « Folio classique » n° 2347, 1992.

18-19, 77-78 : François Rabelais, *Gargantua*, édition de Pierre Michel, Hachette, Le Livre de poche, 1972.

21, 21, 23, 36 : Guillaume Apollinaire, *Le Bestiaire ou Le Cortège d'Orphée*, dans *Alcools*, Poésie/Gallimard, 1966.

25 : Jules Supervielle, *Les Poèmes de l'humour triste*, dans *L'Escalier*, Gallimard, 1956.

25-26 : Jacques Roubaud, *Les Animaux de tout le monde*, Éditions Seghers Jeunesse, 1991.

30 : Francis Ponge, *Le Grand Recueil*, Gallimard, 1961.

33 : Charles-François Panard, *Théâtre et œuvres diverses*, en quatre volumes, Éditions Duchesne, 1763.

34 : Guillaume Apollinaire, *Calligrammes*, Gallimard, 1925, repris dans « La bibliothèque Gallimard » n° 107.

37-38 : Francis Ponge, *Le Parti pris des choses*, Gallimard, 1942.

40 : Jean Cocteau, *Paraprosodies*, Éditions du Rocher, 1958.

44 : Raymond Queneau, *L'Instant fatal*, Poésie/Gallimard, 1948.

44 : Christian Bobin, *Une petite robe de fête*, Gallimard, « Le Chemin », 1991, repris en Folio n° 2466.

46 : Robert Desnos, *Rrose Sélavy*, dans *Corps et biens*, Gallimard, 1930, repris dans « La bibliothèque Gallimard » n° 153 ; Paul Eluard en collaboration avec André Breton, *Notes sur la poésie. Exergue.*

46-47 : Anonyme, *La Véritable Histoire des trois petits cochons*.

49 : Antoine de Saint-Exupéry, *Le Petit Prince*, Gallimard, 1946, repris en « Folio » n° 3200.

50-51 : Robert Desnos et Benjamin Péret, texte complété par André Breton, *Œuvres complètes* d'André Breton, Gallimard, « Bibliothèque de la Pléiade », t. 1, 1988.

51 : Genèse, trad. Émile Osty, Éditions du Seuil, 1973.

52-53 : Jacques Roubaud, *La Belle Hortense*, Éditions Seghers, 1985.

55 : Pierre Desproges, *Dictionnaire superflu à l'usage de l'élite et des biens nantis*, Éditions du Seuil, 1985.

57-58 : Jean-François Régnard, *Voyage en Laponie*, dans *Œuvres complètes*, vol. 4, Imprimerie Belin, 1812.

59 : Jamie Uys, *Les Dieux sont tombés sur la tête*, film botswanais, 1981. Droits réservés.

61-62 : Journal *Le Temps*, 14 février 1887, « Les artistes contre la tour Eiffel ».

64, 66 : Umberto Eco, *Pastiche et postiches*, Éditions Grasset, 1988.

66-67 : Anonyme, *La Chanson de Roland*, trad. Pierre Jonin, Gallimard, 1979, repris en « Folio classique » n° 1150.

69 : Jorge Luis Borges, « La chambre des statues », dans *Histoire de l'infamie*, 1935, Éditions Langues pour tous, 1988, repris en « 10/18 », trad. Roger Caillois et Laure Guille, 1994.

70-71 : Italo Calvino, *Les Villes invisibles*, Éditions du Seuil, 1996.

74-75 : Franz Kafka, « Le souci du père de famille », dans *Un artiste de la faim et autres récits*, trad. de Claude David, Gallimard, « Folio classique » n° 2191, 1990.

79 : Gabriel García Márquez, *Les Funérailles de la Grande Mémé*, trad. de Claude Couffon, Éditions du Seuil, 1962.

80 : Tony Delsham, *Lapo Farine*, Éditions Martinique, 1982.

81-82 : Victor Hugo, *Les Misérables*, Gallimard, « Folio classique » n° 3223.

83-84 : Italo Calvino, *Le Baron perché*, trad. Juliette Bertrand, Éditions du Seuil, 1960.

85-86 : Julio Cortázar, « Continuité des parcs », dans *Fin d'un jeu*, trad. Laure Guille-Bataillon, en collaboration avec C. et R. Caillois, Gallimard, « L'Imaginaire », 2005.

Crédits photographiques et source des illustrations

pages 7 : RMN / H. Lewandowski. 8 : Roger-Viollet. 11 : AKG-images. 15 : Louis Constantin pour l'édition du Livre de Poche de *La Princesse de Babylone* de Voltaire, « Les classiques d'aujourd'hui », 1994. 27 : Marco-D.R. 48 : Collection CAT's-D.R. 72 : Casterman S.A. 77 : Rue des Archives / The Granger Collection NYC.

Retrouvez les autres univers des
« Petits carnets d'écriture »

– Premiers pas vers la maîtrise de l'écriture avec
Embarquement immédiat
de Françoise Spiess.

– Le théâtre avec
Mon nom est Anna
de Françoise Spiess et Jean-Luc Vincent.

– La peinture avec
La chambre de Vincent
de Jean-Louis Vidal.

– Le cinéma avec
On tourne !
d'Anne Huet.

– La musique avec
Des mots en stéréo
de Bruno Vallée.

– L'architecture avec
Chantier ouvert au public
de Françoise Spiess et Jean-Luc Vincent.

– Écrire auprès des écrivains avec
Le livre-avenir
de Bénédicte et Frank Lanot.

© CNDP/Gallimard Éducation, 2005.

Dépôt légal : août 2005
Numéro d'édition : 136168
ISBN Gallimard : 2-07-030853-7
ISBN CNDP : 2-240-01764-3
Imprimé en France par Kapp